Le chant de mon arbre

Angèle Delaunois

TOUrne-pierre

Le chant de mon arbre

Direction éditoriale : Angèle Delaunois
Production : Rhéa Dufresne
Édition électronique : Hélène Meunier
Révision linguistique : Jocelyne Vézina

Dépôt légal : 3e trimestre 2011

Édition imprimée : ISBN : 978-2-923234-76-2
Édition numérique : ISBN : 978-2-923818-71-9 (PDF)

Bibliothèque nationale du Québec
Bibliothèque nationale du Canada

Catalogage avant publication de Bibliothèque et Archives nationales du Québec
et Bibliothèque et Archives Canada

Delaunois, Angèle
        Le chant de mon arbre
        (Tourne-pierre ; 30)
        Pour enfants de 6 ans et plus.
        Publ. aussi en version électronique.
        ISBN 978-2-923234-76-2
        I. Houde, Pierre, 1957-   . II. Titre. III. Collection: Tourne-pierre ; 30.
PS8557.E433C42 2011   jC843'.54   C2011-941827-4
PS9557.E433C42 2011

Nous remercions le Gouvernement du Québec – Programme de crédit d'impôt
pour l'édition de livres – Gestion SODEC

Nous remercions le Conseil des Arts du Canada de l'aide accordée
à notre programme de publication.

ÉDITIONS DE L'ISATIS
4829, avenue Victoria – Montréal – QC - H3W 2M9, Canada
www.editionsdelisatis.com
Imprimé au Canada
Distributeur au Canada : Diffusion du Livre Mirabel

Fiche d'activités pédagogiques téléchargeable gratuitement
depuis le site www.editionsdelisatis.com

Nous remercions chaleureusement l'Imprimerie F.L. Chicoine de sa généreuse participation à ce projet.

À Guy qui aime tant la musique des arbres.
À Céline, arbre fragile, à la magnifique musique

A.D.

À Annick dont l'amour est un si précieux cadeau

P.H.

Au début, il ne chantait pas, mon arbre.
Il était beaucoup trop petit.
Bien abrité sous les fougères,
Pas plus haut que ma main,
Il avait besoin de tout son souffle pour grandir.

Il a déplié ses premières feuilles
Au soleil frileux du printemps.
Dans la brise tiède, il a essayé quelques notes.
Une abeille est venue lui tourner autour.
Et c'est là qu'il a commencé à chanter, mon arbre.

Bien vite, il a dépassé les buissons, mon arbre.
Vers le soleil, il a lancé ses branches.
Au concert de la forêt, on ne l'entendait pas encore très bien.
Pourtant, comme une petite aria de flûte,
Sa voix jeune et joyeuse accompagnait la mélodie du vent
Au rythme des nuages.

Les premiers hivers, engourdi par la froidure,
Il gardait ses musiques pour lui seul, mon arbre.
Il les inventait en silence en imprégnant sa sève.
Mais lorsque la neige se diluait goutte à goutte
Et que ses bourgeons dépliaient leur duvet,
Il jouait toutes les sonatines de la vie qui s'éveille.

Dès que revenait le temps des nids,
Les mésanges lui faisaient la cour
Et s'installaient au creux de ses bras.
Entouré de piaillements et d'envolées de plumes,
Il berçait doucement les œufs, mon arbre,
Et murmurait des berceuses
Aux petits oiseaux.

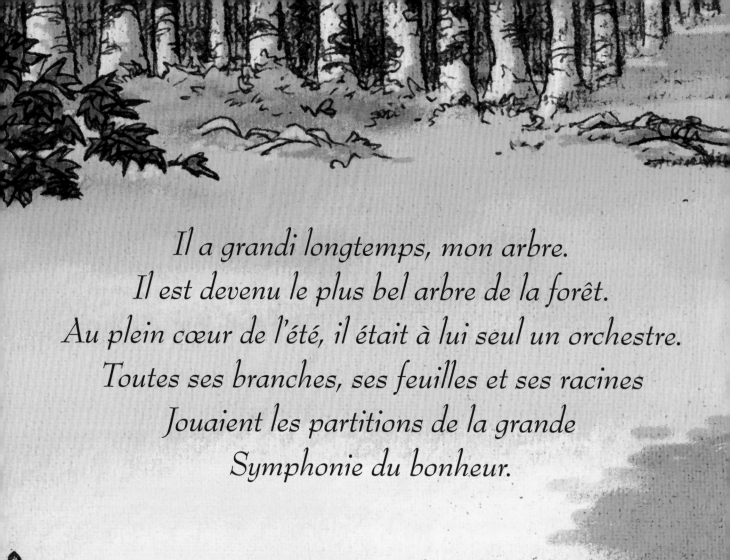

Il a grandi longtemps, mon arbre.
Il est devenu le plus bel arbre de la forêt.
Au plein cœur de l'été, il était à lui seul un orchestre.
Toutes ses branches, ses feuilles et ses racines
Jouaient les partitions de la grande
Symphonie du bonheur.

En automne, il se sentait abandonné.
Lorsque revenaient les gelées blanches,
Il se dépouillait de ses feuilles,
Les semant dans le vent une à une.
Ses complaintes accompagnaient
Les oiseaux migrateurs.
Il frissonnait de nostalgie, mon arbre.

Sous les vents des grandes tempêtes,
Il grinçait comme un bateau dans la tourmente.
Son tronc gémissait comme un mât en détresse,
Ses branches craquaient sous la morsure du givre.
Il pleurait le blues de l'hiver, mon arbre.

Avec nous, il était toujours bienveillant
Et il accompagnait nos romances.
On se balançait sous ses branches.
On gravait nos cœurs sur son tronc.
On sentait bien qu'il nous aimait, mon arbre.

Il aurait pu vivre encore longtemps, mon arbre.
Les mille voix qui l'habitaient
Nous semblaient éternelles.
Mais un jour de ciel noir,
La colère de l'orage l'a cassé en deux.
Lorsqu'il s'est écroulé, foudroyé,
Le silence de la mort s'est fait tout autour de lui.

Le miaulement de la scie nous a tous fait pleurer.
Ses branches ont été dépouillées,
L'une après l'autre débitées en planches,
Son tronc coupé au ras du sol.
De mon arbre, il ne restait qu'une souche
D'où suintait encore la sève.

Grand-père s'est enfermé dans son atelier.
Pendant des jours, il a joué du rabot.
On ne comprenait pas ce qu'il faisait.
Quand il sortait de son antre,
Couvert de sciure et de poussière,
Il fredonnait un air que je n'osais reconnaître.

Pour mon anniversaire,
Il m'a offert une boîte.
Lorsque je l'ai ouverte,
J'ai trouvé qu'il avait bien changé,
Mais je l'ai reconnu tout de suite, mon arbre.
Couché sur le velours, un violon
N'attendait que mes doigts
Pour faire renaître ses musiques.

Lorsque je touche le bois doré de mon violon,
Lorsque je pose ma joue sur sa robe vernie,
Lorsque je caresse ses cordes au crin de mon archet,
Lorsque la musique s'envole comme un alléluia,

Je sais qu'il n'est pas mort, mon arbre.